Helo a chroeso i flwyddlyfr cyntaf Cyw a'i ffrindiau. Mae'n llawn straeon, posau a llawer o luniau i ti liwio – gyda Deryn, Plwmp, Bolgi, Llew a Jangl.

Dyma lyfr

Enw ....

Oedran ....

Cynnwys

Paid ag anghofio'r sticeri yng nghanol y llyfr!

© S4C 2011
Cedwir pob hawl.
Argraffwyd yng Nghymru
ISBN 978-0-907551-22-5
CS029

Dylunwyd gan Debbie Thomas
Diolch i Sioned Gwyn

Cwrdd â'r criw

Helo, fi yw Cyw. Gei di fwy o fy hanes i a'm ffrindiau nes ymlaen. Beth am i ti ddarllen amdanaf i ac yna defnyddio dy hoff bensiliau i liwio fy llun?

Mae 🐤 yn byw yn 🏠 gyda gweddill ei ffrindiau. Gyda'r 🌙 mae'n cysgu yn y cwtsh coeden ac yn dibynnu ar 🐘 i'w chodi i mewn ac allan. Mae'n hoffi chwarae ⚽ gyda 🐶 . Mae 🐤 yn fentrus iawn a byddai'n hapus pe bai'n gallu hedfan o gwmpas y byd. Mae 🐤 yn mwynhau teithio yn ei 🚗 a chwrdd â bechgyn a merched o bob cwr o Gymru. Mae 🐤 yn hoffi bwyta grawn, hadau a 🥪 . Mae 🐤 hefyd yn mwynhau pob math o 🍎🍌 a llysiau. Cas beth Cyw ydy'r 💧 a gwlychu ei phlu.

Sawl adain sydd gan Cyw? Rho'r ateb yma.

2

Cyw

Lliwio tŷ Cyw

Dyma lun o dŷ Cyw a'i ffrindiau. Beth am i ti liwio'r llun gan ddefnyddio'r llun lliw i dy helpu?

Tŷ chi

Tynna lun o dy dŷ yn y ffrâm.

Yr ystafell gerddoriaeth

Croeso i'r ystafell gerddoriaeth lle mae Cyw a'i ffrindiau yn dod i ganu'r offerynnau. Beth am i ti ateb rhai o'r posau yma tra bod Cyw a Bolgi yn gwneud sŵn mawr?
Beth am liwio'r offerynnau?

Pa offeryn mae Llew yn ei ganu?

Beth am gyfri sawl un o'r offerynnau yma sydd yn y llun?

Cwrdd â'r criw

Dyma Deryn. Beth am i ti ddarllen amdanaf i ac yna defnyddio dy hoff bensiliau i liwio fy llun.

Cafodd  ei geni yn yr ardd ac mae wedi byw yno erioed. Mae  yn hedfan o gwmpas ac yn ysgwyd ei hadenydd yn brysur. Mae  yn hoffi chwarae triciau ar bawb ac weithiau'n tynnu coes  am nad yw'n gallu hedfan.  yw ei ffrind gorau oherwydd bod  yn teimlo'n ddiogel yn eistedd ar ei gefn. Mae  yn hoffi canu a chwarae yn yr  . Mae gan  ddant melys ac mae'n hoffi bwyta  .

Sawl llygad sydd gan Deryn? Rho'r ateb yma.

2

Deryn

14

Dot i ddot

Mae Cyw ar wyliau ac wedi cyrraedd y goedwig. Cysyllta'r dotiau er mwyn gweld lle mae Cyw a'i ffrindiau'n cysgu heno.

Geiriau gwych

Wyt ti'n gwbod beth yw'r rhain? Rho dy atebion yn y bocs.
Mae'r geiriau i gyd yn dechrau gyda'r llythyren 't'.

.... ractor

.... rên

.... ŷ

.... eisen

.... edi

Beth yw enw'r rhain sy'n dechrau efo 't'?

15

Cwrdd â Rachael, Gareth, Einir a Trystan

Mae Rachael, Gareth, Einir a Trystan yn byw yn y Cwtsh yn y Parc Chwarae. Beth am i ti ddysgu mwy amdanyn nhw?

Rachael

Cas fwyd Rachael ydy rafioli.
Ei ffrind gorau ydy Cyw.

Hoff anifail anwes Rachael ydy cwningen.

Hoff jôc Rachael ydy
'Pa gêm mae crocodeil yn hoffi chwarae? 'Snap!'

Gareth

Mae Gareth yn hoffi bwyta mefus.

Petai Gareth yn anifail, hoffai fod yn fwnci.

Hoff liw Gareth ydy glas.

Hoff anifail anwes Gareth ydy ci.

Einir

Petai Einir yn anifail, hoffai fod yn jiraff er mwyn iddi allu gweld yn bell.

Hoff gêm Einir ydy pêl-rwyd.
Ffrind gorau Einir ydy Bolgi.

Hoff anifail anwes Einir ydy mochyn cwta.

Trystan

Hoff jôc Trystan ydy
'Beth yw enw'r blodyn peryclaf? Dant-y-LLEW!'

Petai Trystan yn anifail, hoffai fod yn gi er mwyn gallu rhedeg yn gyflym.

Ei gas fwyd ydy cacen goffi.

Cwrdd â'r criw!

Dyma Llew. Beth am i ti ddarllen amdanaf i ac yna defnyddio dy hoff bensiliau i liwio fy llun?

Cafodd  ei eni mewn parc saffari. Mae  yn hoffi esgus ei fod wedi tyfu i fyny. Mae'n mynd i grwydro ar ei ben ei hun ac weithiau mae'n mynd ar goll. Mae'n dibynnu ar a'r anifeiliaid eraill i ddod i chwilio amdano a dod a fe yn ôl i . Mae yn gwirioni ar a thynnu . Mae yn caru o bob math, yn enwedig rhai cig. Dydy ddim yn hoffi'r tywyllwch. Mae'n hoffi rhuo a chadw sŵn.

Sawl clust
sydd gan
Llew?
Rho'r ateb
yma.

2

Llew

Helpu Deryn

Helpa Deryn i gyrraedd Plwmp er mwyn iddyn nhw roi dŵr i'r ardd. Bydd yn ofalus ar y llwybr. Pob lwc!

Dechrau

Diwedd

20

Gwena!

Mae Cyw wedi tynnu lluniau o Plwmp a Deryn gyda'i chamera newydd. Pa ddau lun sydd yn union yr un fath?

Tŷ bach twt

Mae Plwmp, Llew, Deryn a Bolgi yn brysur yn y Tŷ Bach Twt. Wyt ti'n gallu gweld y llun bach yn y llun mawr? Rho groes yn y cylch.

a

b

c

ch   d   dd

23

Cwrdd â'r criw!

Dyma Plwmp. Beth am i ti ddarllen amdanaf i ac yna defnyddio dy hoff bensiliau i liwio fy llun?

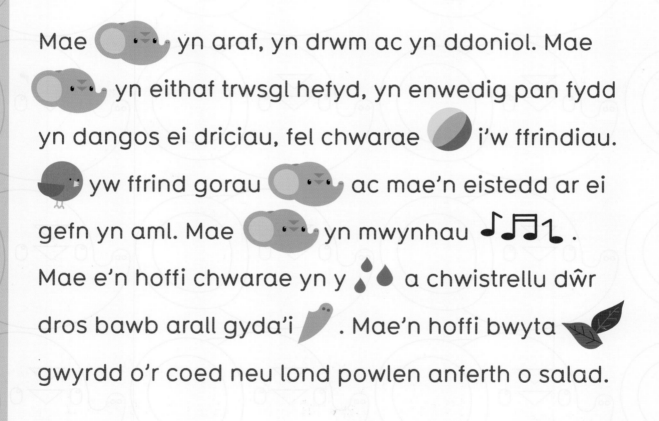

Mae 🐘 yn araf, yn drwm ac yn ddoniol. Mae 🐘 yn eithaf trwsgl hefyd, yn enwedig pan fydd yn dangos ei driciau, fel chwarae ⚽ i'w ffrindiau. 🐤 yw ffrind gorau 🐘 ac mae'n eistedd ar ei gefn yn aml. Mae 🐘 yn mwynhau 🎵🎶. Mae e'n hoffi chwarae yn y 💧 a chwistrellu dŵr dros bawb arall gyda'i 🦷. Mae'n hoffi bwyta 🍃 gwyrdd o'r coed neu lond powlen anferth o salad.

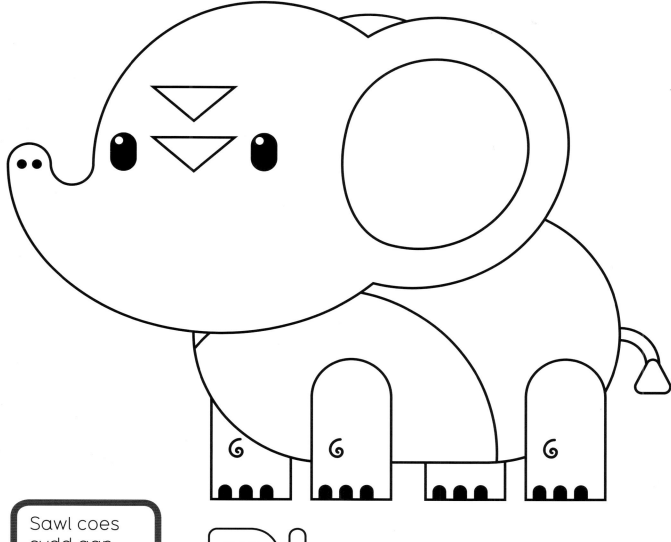

Plwmp

Sawl coes
sydd gan
Plwmp?
Rho'r ateb
yma.

Hedfan barcud

Mae'r anifeiliaid wrth eu boddau yn hedfan barcud. Dilyna'r llinyn er mwyn gweld pwy sy'n hedfan pa farcud.

Beth yw lliw pob barcud?

Ffrindiau fferm

Mae gan Llew a Bolgi lawer o ffrindiau ar y fferm.
Defnyddia bensil i orffen enwau'r anifeiliaid.

buwch

dafad

mochyn

Pa anifeiliaid eraill sy'n byw ar y fferm?

Nos da Bolgi

Beth am liwio'r llun o Bolgi'n cysgu yn ei wely? Am beth mae e'n breuddwydio tybed?

Tynna lun o beth wyt ti'n meddwl
ydy breuddwyd Bolgi.

Cwrdd â'r criw!

Dyma Bolgi. Beth am i ti ddarllen amdanaf i ac yna defnyddio dy hoff bensiliau i liwio fy llun?

Mae  yn gi bach barus sy'n hoffi bwyta llawer o fwyd. Mae e'n swnllyd, direidus a bywiog.

Mae  yn byw yn yr ardd gyda gweddill ei ffrindiau. Mae'n cysgu yn ei  ar waelod yr . Mae  yn ffrindiau gyda  ac wrth ei fodd yn chwarae  yn yr  gyda .

Mae  yn hoff iawn o fynd am dro a rhedeg yn y parc. Ond ei hoff beth yw bwyd – yn enwedig ,  a !

Sawl cynffon sydd gan Bolgi? Rho'r ateb yma.

Bolgi

Pwy sydd nesaf?

Edrycha ar y lluniau yma.
Rho'r sticer cywir yn y blwch gwag.

Beth am i ti enwi holl anifeiliaid Cyw?

Hwyl ar y traeth

Mae Jangl a Llew yn mynd i'r traeth.
Beth maen nhw eu hangen ar y traeth?
Rho groes yn y cylch cywir.

Lliwio'r enfys

Mae Cyw a'i ffrindiau wedi dod o hyd i enfys. Lliwia'r enfys gan ddilyn y rhifau.

1
2
3
4
5
6
7

Beth am i ti ddysgu lliwiau'r enfys?

35

Gwersylla gyda Cyw

1 Bob haf, mae Cyw a'i ffrindiau yn mynd i wersylla. Mae digon o le yn y gwersyll i'r criw chwarae yn yr awyr agored.

2 Un tro, roedd Bolgi eisiau chwarae cuddio. Tra bod pawb arall yn cuddio, cyfrodd Cyw i ddeg. "1, 2, 3, 4, 5 ,6 ,7 ,8 ,9 ,10!" "Barod neu beidio, dwi'n dod i chwilio,"gwaeddodd Cyw.

3 Roedd Plwmp a Deryn yn cuddio tu ôl i goeden ond doedd y goeden ddim yn ddigon llydan i guddio Plwmp. "Dwi wedi dy ddal di!" chwarddodd Cyw.

4 Roedd Jangl yn cuddio tu ôl i babell ond doedd y babell ddim yn ddigon uchel i guddio Jangl. "Dwi'n dy weld di Jangl," meddai Cyw yn hapus a llon.

5 Roedd Bolgi wedi dod o hyd i le da i guddio mewn llwyn mawr gwyrdd ond roedd Cyw yn gallu gweld ei gynffon yn ysgwyd yn ôl ac ymlaen. "Dim ond un i fynd," meddyliodd Cyw.

6 Ond er i Cyw chwilio ym mhob man, doedd dim golwg o Llew. Daeth Plwmp, Deryn, Jangl a Bolgi i helpu Cyw ond doedd neb yn gallu dod o hyd i Llew.

7 Yn sydyn, clywodd y criw sŵn rhyfedd yn dod o fan Cyw. "Beth yw'r sŵn rhyfedd yna?" gofynnodd Jangl. "Beth am i ni weld?" meddai Cyw, wrth agor y drws.

8 Pwy oedd yno yn cysgu'n drwm ac yn chwyrnu nerth ei ben, ond Llew! "Hwrê, dyma Llew!" meddai Cyw. "Dwi'n mwynhau chwarae cuddio!"

Y Gaeaf

Mae hi'n oer tu allan ac mae Cyw a'i ffrindiau yn chwarae yn yr eira. Cysyllta'r dotiau i weld beth mae'r anifeiliaid wedi ei wneud yn yr eira.

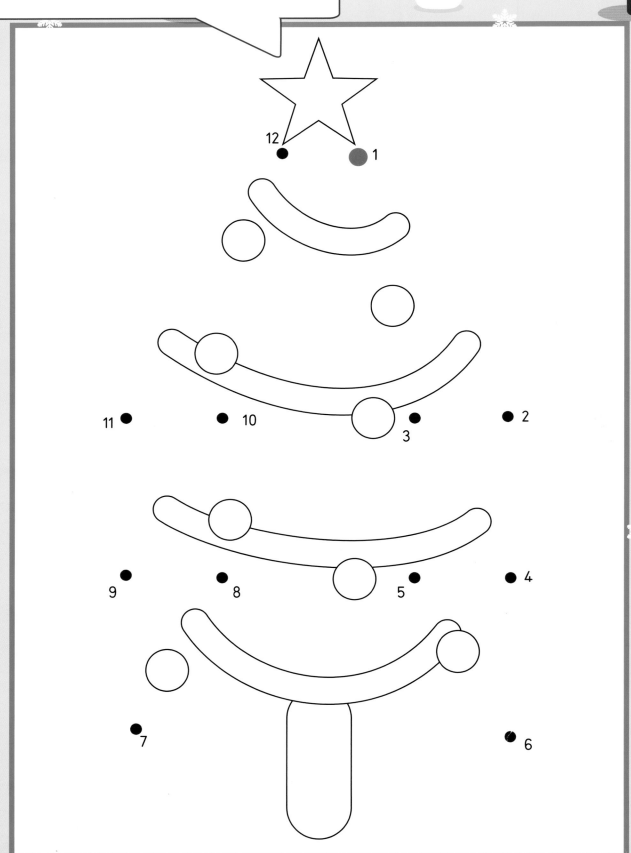

Amser chwarae

Mae plu eira wedi cuddio'r criw.
Pwy sydd y tu ôl i bob pluen
eira?

Cyfra sawl dyn eira sydd yn y llun

Cysgodion

Mae Cyw yn mwynhau hedfan yn uchel yn yr awyr. Mae'n gallu gweld sawl siâp yn y cymylau. Edrycha ar y siapiau'n ofalus. Wyt ti'n gallu dod o hyd i bethau wrth y llyn sydd yr un siâp â'r cymylau?

Sawl un o'r rhain sydd wrth y llyn?

41

1 Mae hi'n swnllyd iawn yn nhŷ Cyw heddiw. Mae Cyw a'i ffrindiau yn yr ystafell gerddoriaeth yn chwarae gyda'r offerynnau cerdd. Maen nhw'n gwneud sŵn ofnadwy am fod pawb yn canu eu hofferynnau ar draws ei gilydd.

Mae Deryn yn ceisio ymarfer canu ond mae hi'n llawer rhy swnllyd yn yr ystafell iddi fedru clywed ei llais swynol. "Beth am greu band?" meddai, "Wedyn fe fyddwn ni gyd yn gwneud cerddoriaeth swynol gyda'n gilydd."

2 Mae pawb yn meddwl bod hyn yn syniad gwych, pawb ond Plwmp.

"Beth sy'n bod Plwmp, pam wyt ti'n edrych yn drist?" meddai Cyw. Mae Plwmp yn egluro nad ydy e'n gallu canu offeryn cerdd ac felly dydy e ddim yn gallu bod yn y band gyda phawb arall.

"Paid â phoeni Plwmp," meddai Deryn, "rwyt ti'n siwr o fedru canu rhyw offeryn cerdd."

3 "Dere i gael tro ar y bas dwbl," meddai Jangl. Mae hi'n dangos i Plwmp sut i blycio'r tannau yn ofalus ar yr offeryn. Mae Plwmp yn cael tro. O na! Mae Plwmp yn torri'r tannau ar fas dwbl Jangl mewn camgymeriad.

"O Jangl, mae'n ddrwg gen i," meddai Plwmp. "Mae fy nhraed i'n rhy fawr i ganu'r bas dwbl."

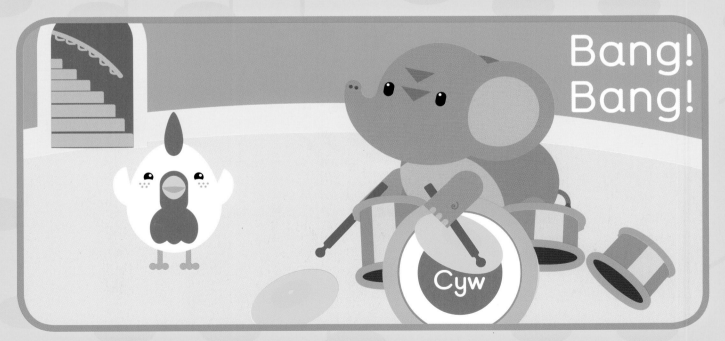

4 "Paid â phoeni Plwmp," meddai Cyw, "Dere i gael tro ar y drymiau." Mae Plwmp yn gafael yn y ffon ac yn taro un o'r drymiau'n galed, Bang! Bang! Bang!

O na! Mae Plwmp yn gwneud twll mawr yn un o'r drymiau mewn camgymeriad. "O Cyw, mae'n ddrwg gen i," meddai Plwmp. "Rydw i'n rhy gryf i chwarae'r drymiau."

5 "Paid â phoeni Plwmp," meddai Llew, "dere i gael tro ar y piano."
Mae Plwmp yn eistedd ar y stôl fach wrth ymyl y piano a "Bang!".
Mae Plwmp druan yn syrthio i'r llawr. O na! Mae Plwmp wedi torri'r stôl.

"O Llew, mae'n ddrwg gen i," meddai Plwmp, "rydw i'n rhy drwm i
eistedd ar y stôl biano fach."

6 Mae Bolgi wedi bod yn gwylio'r cyfan a dydy e ddim am adael i
Plwmp gael tro ar ei gitâr! Plwmp druan.

Mae pawb yn mynd ati i drwsio eu hofferynnau ac mae Plwmp yn
dechrau crio a chrio. "Plwmp, paid â chrio," meddai Deryn yn dyner.

7 "Dere nawr, sycha dy ddagrau a chwytha dy drwnc."

Mae Plwmp yn chwythu ei drwnc yn galed ac yn gwneud sŵn uchel iawn, sŵn trwmped! Mae pawb yn troi i edrych arno ac yn curo dwylo.

8 "Da iawn Plwmp, rwyt ti'n gallu gwneud sŵn trwmped gwych," meddai pawb.

"Plwmp, dwyt ti ddim angen offeryn cerdd," meddai Deryn, "mae gen ti offeryn cerdd dy hun – dy drwnc!"

Mae band tŷ Cyw yn barod nawr. Wyt ti'n gallu clywed y band?

Cyfri ar y fferm

Mae angen i Cyw gyfri'r anifeiliaid ar y fferm.
Helpa Cyw drwy roi rhif ym mhob cylch.

Meee!

Cocadwdldw!

Wyt ti'n gallu gwneud sŵn anifeiliaid y fferm?

Mw! Mw!

Clwc! Clwc!

Soch! Soch! Soch!

Beth yw enwau'r anifeiliaid ar y fferm?

Hwyl ar y fferm

Mae Bolgi'n hoff iawn o helpu ar y fferm. Cysyllta'r dotiau i weld pa gerbyd mae Bolgi'n ei yrru. Defnyddia dy bensiliau i liwio'r llun hefyd.

Gweld y gwahaniaeth

Wyt ti'n gallu gweld 5 gwahaniaeth rhwng y ddau lun?

Rho sticer Cyw fan hyn
bob tro rwyt ti'n dod o hyd
i wahaniaeth.

Cwrdd â'r criw

Dyma Jangl. Beth am i ti ddarllen amdanaf i ac yna defnyddio dy hoff bensiliau i liwio fy llun?

Mae  yn mwynhau bod gyda a'i ffrindiau, ac wrth ei bodd yn siarad a darllen . Mae'n helpu trwy ddefnyddio ei gwddf hir i edrych drwy'r ffenestr ac estyn o'r coed. Mae yn mwynhau tynnu lluniau gyda a . Mae yn hoff iawn o . Dydy ddim yn hoffi cael oherwydd ei bod yn rhy dal i eistedd ynddo. Dydy hi ddim yn hoffi'r , mae'n well ganddi'r o lawer.

Sawl coes sydd gan Jangl? Rho'r ateb yma.

Jangl

Amser chwarae

Mae'r anifeiliaid wrth eu boddau yn chwarae yn yr ardd. Defnyddia'r llun yma i dy helpu i orffen y stori.

Mae Plwmp yn mwynhau cicio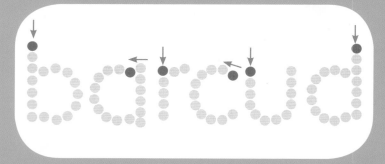

Mae Jangl yn mwynhau hedfan

Mae Bolgi yn mwynhau chwythu

Beth yw dy hoff gêm di i chwarae yn y parc?

Cyw yn helpu

Mae Llew a Deryn wedi methu'r bws felly mae Cyw yn dod i'w nôl yn ei char. Dilyna'r linellau er mwyn iddi ddod o hyd i'w ffrindiau.

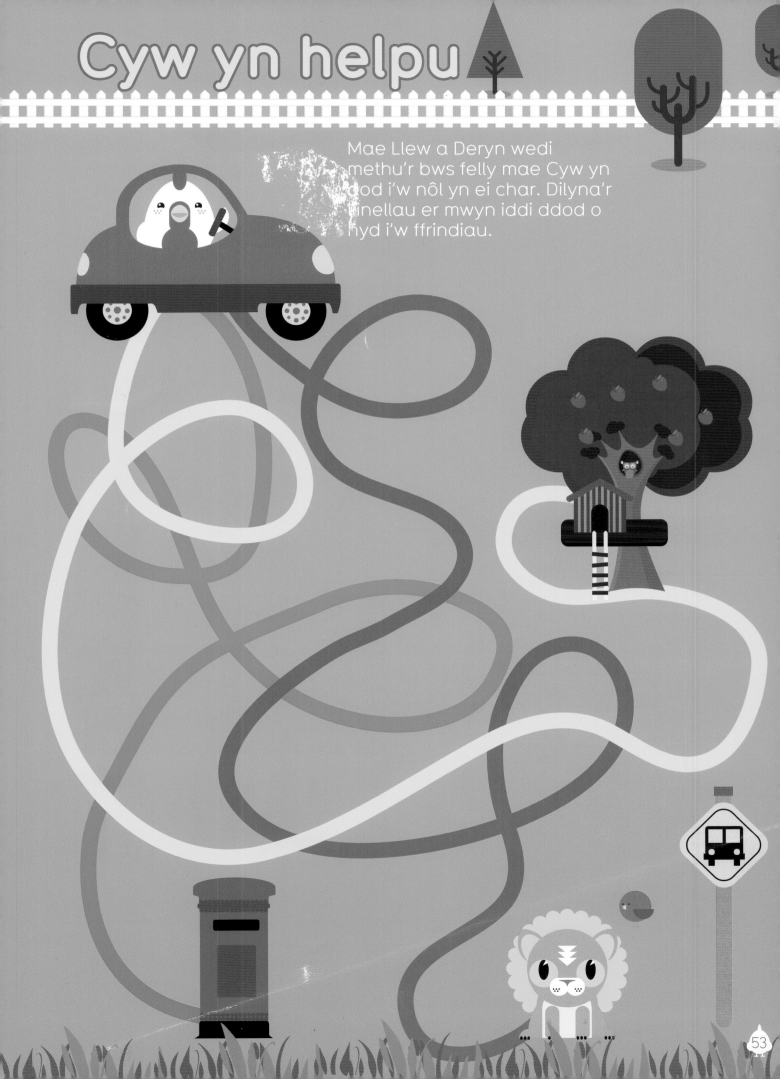

53

pen-blwydd hapus

Mae'r anifeiliaid yn cael parti pen-blwydd.
Beth am i ti liwio'r deisen pen-blwydd
– a defnyddio sticeri er mwyn ei haddurno?

Beth am i ti
gyfri o 1 – 10?

pen-blwydd hapus

6 7 8 9 10

Y Fferm

1 Mae Cyw a'i ffrindiau wedi cyffroi heddiw, maen nhw wedi dod i helpu ar y fferm. Mae'r ffermwr wedi gadael rhestr o bethau sydd angen eu gwneud. Wel wir, mae Cyw a'i ffrindiau yn mynd i fod yn brysur iawn heddiw!

Mae Cyw yn godro'r fuwch. Mae'n gweithio'n galed ac mae'r bwced yn hanner llawn o laeth yn barod. Mae Llew yn dod i weld beth mae Cyw yn ei wneud ac yn rhuo "**Helo Cyw**" yn uchel iawn.

Mae'r fuwch yn cael braw ac yn cicio'r bwced i fyny,... i fyny,... i fyny i'r awyr a........ **Sblash**.

Rhestr

- Godro'r fuwch
- Casglu'r wyau
- Gofalu am y moch
- Gofalu nad ydy'r adar yn bwyta'r hadau yn y cae

Sblash!

2 O na, Cyw druan, mae'r bwced wedi glanio ar ei phen, ac mae'r llaeth wedi arllwys i bob man. "Llew, mi fydd yn rhaid i mi ddechrau eto nawr!" meddai Cyw yn flin. "Cer i weld a ydy Bolgi angen dy help di." "Mae'n ddrwg gen i," meddai Llew ac i ffwrdd ag e i edrych am Bolgi.

Mae Bolgi'n symud y defaid o'r cae mawr i'r cae bach. Mae'n gweithio'n galed ac mae hanner y defaid wedi cyrraedd y cae bach yn barod. Mae Llew yn dod i weld beth mae Bolgi'n ei wneud ac yn rhuo "**Helo Bolgi**" yn uchel iawn!

3. Mae'r defaid yn cael braw ac yn rhedeg yn wyllt at Bolgi. Maen nhw'n bwrw Bolgi druan ac mae e'n hedfan i fyny....i fyny....i fyny i'r awyr a......... **Bwmp**.

O na , Bolgi druan, mae e wedi glanio ar ei ben-ôl yn y cae ac mae'r defaid yn rhedeg i bob man!

"Llew! Mi fydd yn rhaid i mi ddechrau eto nawr!" meddai Bolgi'n flin. "Cer i weld a ydy Plwmp a Deryn angen dy help di." "Mae'n ddrwg gen i," meddai Llew ac i ffwrdd ag e i edrych am Plwmp a Deryn.

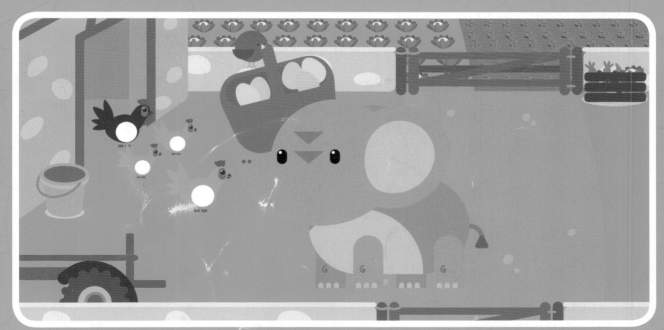

4. Mae Plwmp a Deryn yn casglu wyau. Mae Plwmp yn defnyddio ei drwnc i roi'r wyau'n ofalus ym masged Deryn. Maen nhw'n gweithio'n galed ac wedi llenwi hanner y fasged gydag wyau'n barod.

Mae Llew yn dod i weld beth mae Plwmp a Deryn yn ei wneud ac yn rhuo "**Helo Plwmp, Helo Deryn**" yn uchel iawn. Mae'r ieir a Deryn yn cael braw ac mae'r fasged wyau yn hedfan i fyny.....i fyny.....i fyny i'r awyr a **Sblat!**

Sblat!

5 O na, Plwmp druan, mae'r fasged wedi glanio ar ei ben ac mae'r wyau i gyd wedi torri ymhob man!

"Llew, mi fydd rhaid i ni ddechrau eto nawr!" meddai Plwmp yn flin. "Cer i weld os ydy Jangl angen dy help di." "Mae'n ddrwg gen i," meddai Llew ac i ffwrdd ag e i edrych am Jangl.

Mae Jangl yn gofalu bod gan y moch ddŵr i yfed. Mae hi'n gwneud gwaith da ac mae'r cafn dŵr yn hanner llawn yn barod.

Sblosh!

6 Mae Llew yn dod i weld beth mae Jangl yn ei wneud ac yn rhuo "**Helo Jangl**" yn uchel iawn!

Mae'r moch yn cael braw ac yn rhedeg at Jangl yn wyllt ac yn ei bwrw hi i fyny.....i fyny......i fyny i'r awyr ac yna **Sblosh**! O na, Jangl druan, mae hi wedi glanio yng nghanol y mwd! Mae'r mwd yn tasgu i bob man ac mae'r moch yn hapus, ond dydy Jangl ddim yn hapus.

7 "Llew! Rwyt ti'n codi ofn ar bawb a phopeth wrth ruo mor uchel," meddai Jangl yn flin. "Cer i ruo rhywle arall!"

Mae Llew yn cerdded yn drist i mewn i gae, lle mae adar direidus yn bwyta hadau'r ffermwr druan. "Dydw i ddim yn gallu helpu ar y fferm," meddai Llew wrth ei hun, "mae gan bob anifail fy ofn i."

Mae Llew yn crio a chrio ac yna'n rhuo yn uchel iawn

"Raaaaaa!"

8 Mae'r holl adar yn cael braw mawr ac yn hedfan i ffwrdd ar frys. Mae Cyw, Jangl, Bolgi, Plwmp a Deryn yn gweld bod Llew wedi dychryn yr adar direidus i ffwrdd. "Da iawn Llew," meddai pawb, "rwyt ti wedi llwyddo i symud yr adar a gwarchod hadau'r ffermwr! Ti ydy'r bwgan brain gorau yn y byd!"

Mae Llew wrth ei fodd fel bwgan brain yn rhuo'n uchel uchel drwy'r dydd! Mae e'n gweithio'n galed hefyd.

Wyt ti'n gallu gweld **5** gwahaniaeth rhwng y ddau lun?

Rho sticer Cyw fan hyn bob tro
rwyt ti'n dod o hyd i wahaniaeth.

Siapiau

Mae Jangl wedi colli rhai o'i siapiau. Beth am i ti ei helpu i'w rhoi yn ôl?

Beth sydd nesaf?

Edrycha ar liwiau'r lluniau yma.
Defnyddia dy bensiliau i liwio'r llun olaf.

Pa sŵn mae'r cerbydau
yma yn ei wneud?

Ffrindiau gorau

Mae Plwmp a Deryn yn ffrindiau gorau. Beth am i ti dynnu llun ohonat ti dy hun a dy ffrind gorau?

Enw fy ffrind gorau

....

Wyt ti wedi ymaelodi â Chlwb Cyw?

Wrth ymaelodi, cei dystysgrif arbennig iawn i'w hargraffu, a byddi'n derbyn ebost misol yn cynnwys newyddion Cyw, hwyl a gweithgareddau. Mae ymaelodi'n hawdd – beth am fynd i wefan Cyw a chlicio ar Ymaelodi â Chlwb Cyw

Mae digonedd o bethau cyffrous i'w gweld a'u gwneud ar wefan Cyw... cyfarchion pen-blwydd, darllen straeon a lliwio, chwarae gemau, creu a gwylio dy hoff raglenni eto.

Gallwch lawrlwytho ap Cyw i'ch ffôn am ddim!

s4c.co.uk/cyw

Llun i Gwener
7,00 — 1,20
Cyw
Bob bore cawn ganu, chwerthin a dawnsio wrth i Cyw a'i ffrindiau ddeffro.

Bob dydd Sadwrn a Sul
7,00 — 9,00
Clwb Cyw
Creu, chwarae a hwyl gyda Cyw a phlant Cymru.

Atebion

7 Sawl adain sydd gan Cyw? 2

10 Pa offeryn mae Llew'n ei chwarae? Piano
Pa offeryn mae Cyw'n ei chwarae? Drymiau
Sawl llinyn sydd ar gitâr Bolgi? 4
Beth am gyfri sawl un o'r offerynnau yma sydd yn y llun? 2, 1, 3, a 3
Sawl anifail sydd yn y llun? 6

12 Sawl llygad sydd gan Deryn? 2

14 Dot i ddot? Carafan

19 Sawl clust sydd gan Llew? 2

21 Gwena! 1 a 3

24 Sawl coes sydd gan Plwmp? 4

31 Sawl cynffon sydd gan Bolgi? 1

32 Pwy sydd nesaf? Cyw, Jangl, Plwmp a Llew
Enwau'r holl anifeiliaid:
Cyw, Deryn, Plwmp, Bolgi, Llew a Jangl

33 Hwyl ar y traeth: Bwced a rhaw, gwisg nofio, cylch rwber a het haul

35 Lliwio'r enfys. Coch, Oren, Melyn, Gwyrdd, Glas, Porffor ac Indigo

38 Y Gaeaf: Coeden Nadolig
Cyfra sawl dyn eira sydd yn y llun: 5

40 Cysgodion: Cymylau: broga, hwyaden, aderyn a phili pala
Sawl un o'r rhain sydd yng ngardd Cyw?
2 gwningen, 4 alarch, 5 blodyn

46 Cyfri ar y fferm.
2 fuwch, 4 dafad, 1 iâr, 3 mochyn a 5 hwyaden

48 Hwyl ar y fferm dot i ddot? Tractor

49 Gweld y gwahaniaeth
1. Lliw'r tractor 2. Nifer o foch 3. Nifer o hwyaid
4. Lliw'r bwced 5. Dim buwch

51 Sawl coes sydd gan Jangl? 4

60 Gweld y gwahaniaeth
1. Lliw'r enfys 2. Gogls Cyw 3. Lliw'r balŵn
4. Glaw 5. Deryn

62 Beth sydd nesaf?
Car coch, tractor melyn, awyren glas